Junie B. Jones
n'est pas une voleuse

Junie B. Jones
n'est pas une voleuse

Barbara Park
Illustrations de Denise Brunkus

Traduction d'Isabelle Allard

Catalogage avant publication de Bibliothèque et Archives Canada

Park, Barbara

Junie B. Jones n'est pas une voleuse / Barbara Park;
illustrations de Denise Brunkus;
texte français d'Isabelle Allard.

Traduction de : Junie B. Jones is not a crook.
Pour les 7-10 ans.
ISBN-13 : 978-0-439-94263-8
ISBN-10 : 0-439-94263-2

I. Brunkus, Denise II. Allard, Isabelle III. Titre.

PZ23.P363 Juni 2007   j813'.54   C2006-905686-2

Édition publiée par les Éditions Scholastic,
604, rue King Ouest, Toronto (Ontario) M5V 1E1.

6 5 4 3 2   Imprimé au Canada   08 09 10 11 12

Table des matières

1/ Sans raison

Je m'appelle Junie B. Jones. Le B, c'est la première lettre de Béatrice. Je n'aime pas ce prénom-là, mais le B tout seul, j'aime bien ça!

Je vais vous raconter une histoire.

Ça s'appelle « Un jour, mon papi Frank Miller est allé au magasin et m'a acheté des mitaines ».

Un jour, mon papi Frank Miller est allé au magasin et m'a acheté des mitaines. Elles sont faites en fourrure noire toute douce.

Et vous savez quoi? Ce n'était même pas ma fête! Ce n'était pas Noël non plus!

Ni la Saint-Valentin! En plus, les mitaines n'étaient même pas en solde.

Papi Miller les a achetées juste comme ça, sans raison. Je trouve que c'est la meilleure raison du monde!

Voilà pourquoi j'aime tellement mon papi.

En plus, il est capable de gambader.

La fin.

J'aime beaucoup cette histoire.

Vous savez pourquoi?

Parce que je ne l'ai même pas inventée, c'est pour ça.

Cette aventure m'est vraiment arrivée! Mon papi Miller m'a vraiment acheté des mitaines, sans raison!

Et elles sont très belles, je vous le dis!

Quand je les ai vues, j'ai été remplie d'allégresse.

L'allégresse, c'est quand on court. Qu'on saute. Qu'on gambade. Qu'on rit. Qu'on applaudit. Et qu'on danse sur la table de la salle à manger.

Puis notre mère nous fait descendre et nous transporte dans notre chambre, en punition.

La punition annule l'allégresse.

J'ai porté mes nouvelles mitaines toute la matinée. En plus, je les ai portées l'après-midi pour aller à la maternelle.

Je les ai portées avec mon beau manteau d'hiver. Il ne faisait pas tellement froid, mais ça ne me dérangeait pas. Parce que le manteau et les mitaines allaient très bien ensemble.

J'ai montré mes mitaines à ma meilleure amie, qui s'appelle Grace. Et je les ai montrées à plein d'inconnus.

Quand je suis arrivée à l'école, j'ai levé

mes mains au-dessus de ma tête. Et j'ai
couru tout autour de la cour d'école.

— REGARDEZ, TOUT LE MONDE!
REGARDEZ MES NOUVELLES
MITAINES! C'EST MON PAPI FRANK
MILLER QUI ME LES A ACHETÉES,
SANS RAISON!

J'ai agité mes mains dans les airs.

— COMBIEN D'ENFANTS PEUVENT
VOIR CES JOLIES MITAINES? LEVEZ
LA MAIN! ai-je crié.

Personne n'a levé la main.

— COMBIEN D'ENFANTS PENSENT
QUE MES MITAINES SONT BELLES?
AVANCEZ-VOUS! ai-je hurlé.

Personne ne s'est avancé.

J'ai baissé les mains et je me suis
approchée de Grace.

— Ils n'ont pas l'air intéressés, ai-je dit,
très déçue.

Mais vous savez quoi? Juste à ce moment, j'ai vu mon autre meilleure amie, qui s'appelle Lucille!

J'ai couru à toute vitesse lui dire bonjour.

— LUCILLE! LUCILLE! REGARDE
MES BELLES MITAINES! TU VOIS?
ELLES SONT FAITES EN FOURRURE
NOIRE TOUTE DOUCE!

Lucile les a flattées.

— Ma famille a beaucoup de fourrures,
a-t-elle dit. Ma mère a une cape de
fourrure. Ma tante a une veste de
fourrure. Mon oncle a un chapeau de
fourrure. Et ma grand-maman vient
d'acheter un nouveau manteau de vison.
Sauf qu'elle ne peut pas le porter quand
elle sort de la maison. Sinon, les gens vont
lui lancer de la peinture.

Ma bouche s'est ouverte toute grande.

— Pourquoi, Lucille? Pourquoi les gens
vont lancer de la peinture à ta grand-
maman? ai-je demandé.

Lucille s'est croisé les bras.

— Tu ne sais donc *rien*, Junie B. Jones?

C'est parce que les gens qui aiment les animaux à fourrure n'aiment pas qu'on les transforme en manteaux pour les grands-mamans.

Alors, je me suis sentie soulagée. Parce que je ne suis pas une grand-maman, c'est pour ça. En plus, mes mitaines n'ont pas été faites avec la fourrure de *vrais* animaux. Elles ont été faites avec la fourrure de *faux* animaux. Et cette sorte-là ne compte pas.

Tout à coup, la cloche a sonné.

J'ai filé vers ma classe comme une fusée.

Vous savez pourquoi?

Parce que, dans ma classe, il y avait d'autres personnes à qui montrer mes mitaines.

C'est pour ça!

2/ Des mains en fourrure

J'ai montré mes mitaines à ma maîtresse.

Elle s'appelle Madame.

Elle a un autre nom, mais je ne m'en souviens jamais. Et puis, j'aime bien dire Madame tout court.

— Touchez-les, Madame, ai-je dit. Vous sentez comme c'est doux?

Je les ai frottées sur sa figure.

— Ooooh! c'est vrai qu'elles sont douces, Junie B., a-t-elle dit. Mets-les dans les poches de ton manteau pour ne pas les perdre, d'accord?

J'ai gambadé jusqu'à ma place, toute contente.

— Ouais, sauf que je ne vais pas les perdre, me suis-je dit à moi-même. Je ne vais même pas les enlever. Je vais les porter toute la journée au complet. Parce que je les aime, ces mitaines, c'est pour ça.

J'ai enlevé mon beau manteau et je me suis assise à ma place.

Puis j'ai tapé sur l'épaule de Lucille avec mes mitaines en fourrure.

— Bonjour! Ça va bien, aujourd'hui? Tu vois, j'ai des mains en fourrure! Regarde mes mains en fourrure, Lucille!

Je les ai fait bouger dans les airs.

— Voilà de quoi ont l'air des mains en fourrure quand elles volent dans les airs, ai-je dit.

J'ai agité la main comme pour saluer quelqu'un.

— Et ça, c'est quand les mains en fourrure disent bonjour.

Lucille a froncé les sourcils.

— Arrête de m'embêter, a-t-elle dit.
C'est pour ça que je me suis retournée.
J'ai souri à un garçon qui s'appelle
William.

— J'ai des mains en fourrure, William. Tu vois? Tu vois mes mains en fourrure?

Je lui ai tapé sur la tête.

— Voilà de quoi ont l'air des mains en fourrure qui tapent sur ta tête, ai-je dit.

Puis je me suis levée de ma chaise. J'ai gambadé jusqu'à mon petit ami, qui s'appelle Ricardo.

Je l'ai chatouillé sous le menton avec mes douces mains en fourrure.

— Voilà ce que ça fait, des mains en fourrure qui te chatouillent sous le menton, ai-je dit.

Puis j'ai souri sans pouvoir m'arrêter. Parce que ce garçon me fait toujours cet effet-là. C'est pour ça.

Madame a fini par remarquer que je n'étais pas assise.

Elle m'a prise par la main et m'a ramenée à mon pupitre.

— Voilà de quoi ont l'air des mains en fourrure quand elles marchent jusqu'à mon pupitre, ai-je dit.

Madame m'a fait asseoir sur ma chaise.

Après, elle m'a enlevé mes mains en fourrure. Et elle les a mises sur son bureau.

J'ai poussé un gros soupir triste.

— Voilà de quoi ont l'air des mains en fourrure quand elles ne sont plus avec moi, ai-je chuchoté tout bas, juste pour moi.

J'ai posé ma tête sur mon pupitre.

Je me suis caché le visage dans mes bras.

Et je ne l'ai pas relevé avant un bon bout de temps.

3/ Noisette à pattes noires

Madame a dit qu'elle me redonnerait mes mitaines à la récréation.

J'ai fixé l'horloge des yeux très longtemps. Puis j'ai tapoté mon pupitre avec mes doigts. Et j'ai poussé de gros soupirs.

Lucille la rapporteuse l'a dit à la maîtresse.

— Junie B. n'arrête pas de faire du bruit avec ses doigts! En plus, elle respire très fort! Je ne peux pas me concentrer! a-t-elle grogné.

Madame est venue à mon pupitre.

— Bonjour, comment ça va, aujourd'hui? lui ai-je demandé d'une voix nerveuse. Moi, je vais bien. Sauf que je n'ai pas mes mitaines.

Madame a tapé du pied très vite.

Ce n'était pas bon signe, je pense.

Mais vous savez quoi? Juste à ce moment-là, la cloche a sonné!

— YOUPI! ai-je crié. YOUPI! MAINTENANT, JE PEUX AVOIR MES MITAINES, PAS VRAI? PAS VRAI, MADAME?

J'ai couru à son bureau et j'ai enfilé mes mitaines.

J'ai frotté mes mains toutes douces sur mes joues.

— Je suis contente de vous revoir, ai-je chuchoté dans la fourrure.

Après, j'ai mis mon beau manteau et j'ai gambadé jusqu'à la porte avec mes amies. Lucille la rapporteuse, Grace et moi, on joue souvent aux chevaux pendant la récréation.

Moi, je suis Noisette. Lucille est Réglisse. Grace est Caramel.

— JE SUIS CARAMEL! a crié Grace.

— JE SUIS RÉGLISSE! a crié Lucille.

— JE SUIS NOISETTE! ai-je crié.

Tout à coup, j'ai regardé mes mitaines. J'ai froncé les sourcils.

Parce qu'il y avait un tout petit problème, je pense.

— Ouais, mais comment je pourrais être Noisette? ai-je demandé. Parce que mes pattes de cheval sont noires. Alors, je suis de deux couleurs, on dirait.

Lucille et Grace ont froncé les sourcils, elles aussi.

— Hum... a fait Grace.

— Hum... a fait Lucille.

— Hum... ai-je fait.

Puis Grace a tapé des mains, toute contente.

— Je sais, Junie B.! Aujourd'hui, Lucille et toi, vous pourriez échanger vos noms! *Lucille* pourrait être Noisette, et *toi*, tu serais Réglisse! Comme ça, tes pattes seraient de la bonne couleur, parce que le cheval de Lucille est noir!

Lucille et moi, on l'a regardée un bon moment. Parce que c'était une idée complètement folle.

J'ai poussé un gros soupir.

— Ouais, mais comment je pourrais être *Réglisse* quand je suis déjà *Noisette*, Grace? ai-je demandé. J'ai été Noisette pendant toute ma carrière. Je ne peux pas changer comme ça, tu sais.

— C'est vrai, Grace, a dit Lucille. On ne peut pas changer comme ça.

Grace a eu l'air gênée.

— Oh, c'est vrai. J'aurais dû y penser, a-t-elle marmonné.

Après, on s'est assises sur le gazon. On a tapoté nos mentons.

On a *fléréchi*, et *fléréchi*...

Soudain, tout mon visage s'est illuminé.

— Hé! j'ai une bonne idée! Je sais *et-zaquetement* quoi faire! ai-je crié.

Je me suis levée d'un bond.

— On recommence! Grace, dis ton nom! Dis que tu es Caramel!

Grace m'a regardée avec un drôle d'air.

— Je suis Caramel, a-t-elle dit.

J'ai montré Lucille du doigt.

— Je suis Réglisse, a-t-elle dit.

J'ai tourné en rond, toute contente.

— JE SUIS NOISETTE! ai-je crié. SAUF QUE VOUS SAVEZ QUOI? HIER, MON PAPI NOISETTE M'A ACHETÉ

DES MITAINES NOIRES EN
FOURRURE. ALORS, C'EST POUR ÇA
QUE JE SUIS DE DEUX COULEURS!

Après, on s'est tapées dans les mains,
toutes les trois. Et on a commencé à jouer
aux chevaux.

On a galopé. On a trotté. On a henni.

Sauf que tant pis pour moi. Parce que
le soleil n'arrêtait pas de chauffer ma tête
de cheval. Et je suis devenue toute
mouillée dans mon beau manteau d'hiver.

— Je pense que je vais mourir de
transpiration, ai-je dit.

C'est pour ça que j'ai trotté jusqu'à un
arbre. Et j'ai enlevé mes choses.

En premier, j'ai enlevé mon beau
manteau. Après, j'ai enlevé mes mitaines
en fourrure noire et les ai placées sur mon
manteau.

Après, j'ai galopé pour rejoindre mes

amis chevaux. Et on a joué beaucoup
ensemble.

Bientôt, Madame a soufflé dans son
sifflet.

Ça voulait dire que la récréation était
terminée.

— J'ARRIVE! a crié Caramel.

— J'ARRIVE! a crié Réglisse.

— J'ARRIVE! ai-je crié.

Je me suis dépêchée d'aller chercher mes vêtements au pied de l'arbre.

Mais vous savez quoi? Il était arrivé une chose terrible! MES MITAINES N'ÉTAIENT PLUS LÀ! QUELQU'UN LES AVAIT VOLÉES!

4/
Pas de sac à dos

J'ai couru autour de l'arbre.

— APPELEZ LE 9-1-1! VITE, LE
9-1-1! ai-je hurlé. QUELQU'UN A VOLÉ
MES MITAINES!

Madame s'est approchée à toute vitesse.

— ILS ONT VOLÉ MES MITAINES!
APPELEZ LE 9-1-1! ai-je continué à crier.

Madame s'est penchée vers moi.

— Qui, Junie B.? Qui les a volées? a-
t-elle demandé.

— Un voleur, voyons! Un voleur les a
volées! C'est vraiment une école bizarre,
ici! Parce que je ne savais même pas qu'il

y avait des voleurs dans cette école!

Madame m'a dit de me calmer.

— Ouais, sauf que je ne peux pas. Parce que j'ai le *cœur brisé*, c'est pour ça.

J'ai le *cœur brisé*, c'est quelque chose que les grandes personnes disent quand elles ont beaucoup de peine.

J'ai regardé par terre, très triste.

— Maintenant, tout ce qui me reste, c'est mon stupide de beau manteau.

Madame a ramassé mon manteau. Elle m'a prise par la main et on a commencé à marcher.

— Viens avec moi au bureau du directeur, a-t-elle dit.

J'ai vite essayé d'enlever ma main de sa main.

— Non, Madame! Je n'ai pas le droit d'y aller! Si je vais encore au bureau du directeur, maman a dit que j'allais être *punie, jeune fille*!

Des larmes ont rempli mes yeux.

— *Punie, jeune fille*, c'est quand je dois rester dans ma chambre.

Madame a souri.

— Je ne t'emmène pas voir le directeur pour que tu sois punie, Junie B., a-t-elle dit. Je t'emmène chercher tes mitaines.

J'ai eu le souffle coupé.

— Le directeur? ai-je répété, très surprise. Le directeur a volé mes mitaines?

Madame a ri très fort.

— Non, Junie B. Il n'a pas volé tes mitaines. Mais les objets trouvés sont dans son bureau.

Elle a repris ma main et on a marché jusqu'au bureau.

Il y a une dame grincheuse qui tape sur un clavier dans le bureau.

Je ne l'aime pas beaucoup.

— Junie B. doit regarder dans la boîte des objets trouvés, lui a dit Madame. Renvoyez-la en classe quand elle aura fini, s'il vous plaît.

Puis Madame est retournée à la classe numéro neuf et m'a laissée là toute seule.

La dame s'est penchée par-dessus le comptoir.

J'ai avalé ma salive.

— Ouais, sauf que je n'ai pas été méchante, aujourd'hui, ai-je expliqué, très nerveuse. Quelqu'un a volé mes mitaines. Et c'est la fin de mon histoire.

La dame a continué de me regarder. Elle n'a dit aucun mot.

De la sueur a coulé sur ma tête.

— Fiou! Il fait un peu chaud, ici! ai-je dit.

Puis j'ai entendu une porte s'ouvrir.

C'était le directeur!

Il sortait de son bureau.

Je me suis mise à sauter en le voyant. Parce que je le connais bien, ce directeur, c'est pour ça!

— Monsieur le directeur! Regardez, c'est moi! C'est Junie B. Jones! Mes mitaines ont été volées dans la cour d'école. Madame m'a amenée ici pour les chercher. Alors, voulez-vous me les redonner pour que je puisse partir d'ici et qu'on n'en parle plus?

Le directeur m'a regardée avec un drôle d'air. Puis il a ouvert un placard et a sorti une grosse boîte.

— Voici les objets trouvés, Junie B., a-t-il expliqué. Chaque fois que quelqu'un trouve un objet perdu, il l'apporte ici et nous le mettons dans cette boîte.

— Mais pourquoi? ai-je demandé. Pourquoi une personne l'apporterait ici au lieu de le rapporter à sa maison? Une fois, j'ai trouvé une pièce de cinq cents dans la rue. Et papa m'a dit que je pouvais la mettre dans ma tirelire. Parce que trouver, ce n'est pas la même chose que voler. Hein, monsieur le directeur? Trouver, c'est avoir de la chance.

Le directeur a ri un petit peu.

— Eh bien, trouver une pièce de monnaie dans la rue, c'est différent, a-t-il dit. D'abord, il serait presque impossible de retrouver la personne qui l'a perdue. Ensuite, ce n'est pas très grave de perdre cinq cents. Mais quand quelqu'un perd quelque chose de personnel comme des mitaines, c'est plus grave. Alors, si quelqu'un trouve les mitaines, il peut les apporter ici, pour que nous les redonnions à leur propriétaire.

Il m'a souri.

— Comme ça, tout le monde est content, Junie B. La personne qui retrouve ses mitaines est contente. Et la personne qui les a trouvées est contente parce qu'elle a fait une bonne action.

Il m'a montré un morceau de papier collé sur la boîte.

— Tu vois? C'est un poème que la classe de troisième année a écrit au sujet des objets trouvés :

Rapporte les choses égarées
dans la boîte des objets trouvés.
Tu auras le sourire ce jour-là,
car tu seras fier de toi!

J'ai froncé les sourcils.

— Ouais, sauf qu'il y a un problème. Je n'ai pas égaré mes mitaines. Quelqu'un les a volées exprès. Alors, cette personne ne va pas les ramener pour avoir le sourire, probablement.

Le directeur a levé les sourcils.

— Eh bien, on ne sait jamais, Junie B. Jette un coup d'œil.

Il a ouvert la boîte pour moi.

C'est alors que mes yeux se sont agrandis.

Parce qu'elle était remplie de choses merveilleuses, cette boîte!

Il y avait des chandails! Des casquettes! Des gants! Des balles! Une boîte-repas! Un foulard! Des lunettes de soleil! Et une montre avec Mickey Mouse dessus!

Il y avait aussi un sac à dos qui ressemblait à un nounours en peluche!

— OOOOOOH! J'AI TOUJOURS VOULU EN AVOIR UN! ai-je crié, très excitée.

Je l'ai mis sur mon dos et j'ai gambadé

Rapporte les choses égarées
dans la boîte des objets trouvés.
Tu auras le sourire ce jour-là,
car tu seras fier de toi!

30

dans le bureau.

— Est-ce que ça me va bien? ai-je demandé.

Le directeur a couru après moi.

Il m'a enlevé le sac à dos et l'a remis dans la boîte.

— Nous cherchons des *mitaines*, tu te souviens?

Alors, j'ai recommencé à être déprimée. Parce que j'avais presque oublié ces trucs en fourrure, c'est pour ça.

— Ah oui, mes mitaines, ai-je dit, toute triste.

J'ai regardé dans la boîte.

— Elles ne sont pas là, ai-je dit. Elles sont parties pour toujours, je crois.

J'ai poussé un gros soupir triste.

Puis j'ai repris le sac à dos en forme de nounours.

— Peut-être que je vais prendre ce sac à

la place, ai-je dit. Parce que ce sac à dos va me consoler un peu.

Le directeur a dit non.

— Mais pourquoi? ai-je demandé. Son *propiétaire* ne le veut même plus, je parie. Sa mère lui a sûrement acheté un autre sac à dos. Alors, celui-ci va juste être gaspillé.

Le directeur m'a prise par les épaules et m'a tournée vers la porte.

Ça voulait dire que je devais partir, je pense.

— Reviens demain pour voir si quelqu'un a rapporté tes mitaines, a dit le directeur.

Je me suis mise à parler à toute vitesse.

— Ouais, sauf que je viens de me rappeler quelque chose. J'avais un sac à dos comme celui-là, à peu près. Et puis je l'ai perdu, probablement. Alors, je devrais ramener celui-là à la maison avec moi.

Sinon, ma mère va être fâchée.

Le directeur m'a accompagnée jusqu'à la porte. Il m'a tournée en direction de ma classe.

— Au revoir, Junie B., a-t-il dit.

J'ai baissé la tête, déçue.

Vous savez pourquoi?

Parce que au *revoir*, ça voulait dire *pas de sac à dos*.

5/ Gargarisme et gribouillis

La classe numéro neuf est très loin du bureau du directeur.

Il a fallu que je m'arrête à la fontaine, sinon je n'aurais pas pu y arriver.

J'ai enfoncé le bouton avec mon pouce.

Puis j'ai plissé mes lèvres pour aspirer l'eau.

Je n'ai pas mis ma bouche sur le robinet. Parce qu'il y a des microbes de bouche sur cette chose.

J'ai fait bouger l'eau partout dans ma bouche.

Puis j'ai penché ma tête en arrière et je me suis gargarisée.

Je sais très bien me gargariser. Sauf que je ne suis pas capable de garder toute l'eau dans ma bouche.

L'eau a coulé sur les côtés et a dégouliné par terre.

J'ai mis le bout de mon soulier dans la flaque.

C'est alors que j'ai vu une chose merveilleuse par terre.

— Hé! c'est un stylo qui écrit de quatre couleurs différentes! ai-je dit.

Je l'ai ramassé et j'ai pressé le petit bouton rouge au bout.

Un stylo rouge est sorti à l'autre bout.

J'ai gribouillé des gribouillis rouges partout sur ma main.

— Ooooh! *j'adore* ce stylo! ai-je dit.

Après, j'ai pressé le bouton vert et j'ai
gribouillé des gribouillis verts. Puis j'ai
pressé le bouton bleu et j'ai gribouillé des

gribouillis bleus. Et j'ai pressé le bouton noir et j'ai gribouillé des gribouillis noirs.

— Avec ce stylo, c'est un plaisir de gribouiller! ai-je dit.

Je l'ai mis dans ma poche, puis j'ai gambadé vers la classe numéro neuf.

Sauf que tant pis pour moi. Parce que tout à coup, je me suis souvenue des objets trouvés.

J'ai arrêté de gambader.

— Oh non! Pourquoi je me suis souvenue de ça? Maintenant, il va falloir que je rapporte ce stylo au bureau du directeur. Sinon, je n'aurai pas le sourire.

J'ai froncé les sourcils. Parce que quelque chose n'était pas logique là-dedans.

— Ouais, sauf que j'ai déjà un sourire, ai-je dit. J'ai eu un sourire en voyant ce beau stylo. Alors, le rapporter au bureau va seulement me rendre triste.

J'ai tapoté mon menton.

— Hum... Peut-être que le directeur s'est trompé. Je suis sûre que je serai plus contente si je le garde. En plus, je pense que la personne qui avait ce stylo ne s'en est pas bien occupée. Alors, moi, je vais en prendre bien soin et lui offrir un foyer. Ça, c'est une super bonne action!

J'ai sorti le stylo de ma poche pour le regarder.

— Aussi, c'est plus logique comme ça. Parce que, en premier, je me suis fait voler mes mitaines. Après, je n'ai pas pu prendre le sac à dos. Alors, c'est juste que je garde ce stylo.

Soudain, mon visage s'est illuminé. Parce que je venais de penser à une règle : « Qui trouve garde! »

— Qui trouve garde! ai-je dit, toute contente.

J'ai commencé à sauter, toute joyeuse, parce que c'est vrai! « Qui trouve garde », tout le monde sait ça! C'est la règle!

J'ai remis le stylo dans ma poche et j'ai gambadé jusqu'à la classe numéro neuf.

6/ Le portefeuille de papi

J'ai gardé mon stylo dans ma poche le reste de la journée.

Je ne voulais pas que les autres élèves le voient. Sinon, ils l'auraient dit à Madame. Et elle m'aurait obligée à le rapporter aux objets trouvés.

J'ai été très sage. Je ne voulais pas attirer l'attention, c'est pour ça.

J'ai gardé ma main dans ma poche pour être sûre que le stylo ne tombe pas.

Mais tout ce temps-là, je n'arrêtais pas de penser à mes mitaines.

Parce que je m'ennuyais de ces trucs en

fourrure.

J'ai posé ma tête sur mon pupitre.

— Peut-être que papi Miller va m'acheter d'autres mitaines en fourrure, ai-je chuchoté. Parce que ce serait une solution idéale, je pense.

J'ai levé ma tête.

— Hé, c'est vrai! Comme ça, j'aurais d'autres nouvelles mitaines en plus d'avoir un beau nouveau stylo. Qu'est-ce qu'une fille peut demander de plus? J'aimerais bien le savoir!

Je me suis assise toute droite et j'ai tapé sur l'épaule de Lucille.

— Devine quoi, Lucille? Peut-être que mon papi Miller va m'acheter des nouvelles mitaines. Comme ça, mes problèmes seront réglés.

Lucille a dit :

— Tant mieux pour toi.

— Je sais que c'est tant mieux pour moi, ai-je dit, très contente. Alors, merci de ton encouragement.

Après l'école, moi et ma plus meilleure amie Grace, on a pris l'autobus ensemble.

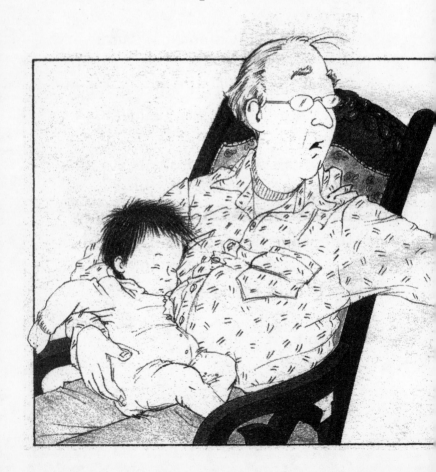

Je suis descendue au coin de ma rue et j'ai couru à la maison comme une fusée.

Mon papi Frank Miller gardait mon petit frère, qui s'appelle Ollie.

— PAPI MILLER! PAPI MILLER! IL FAUT ALLER AU MAGASIN DE

MITAINES! VIENS AVEC MOI AU
MAGASIN DE MITAINES! ai-je hurlé très
fort.

Papi Miller était dans le salon. Il berçait
Ollie.

Il m'a regardée avec un drôle d'air.

— Tu veux aller où? a-t-il demandé.

— AU MAGASIN DE MITAINES!
VIENS AVEC MOI AU MAGASIN DE
MITAINES!

Je l'ai tiré par la main.

— LÈVE-TOI! ALLEZ, GROUILLE-
TOI!

Papi Miller n'avait pas l'air de
comprendre.

C'est pour ça que je me suis assise. Et je
lui ai raconté ce qui était arrivé à l'école.

— Une personne a volé mes mitaines,
ai-je expliqué. Elle les a volées pendant
que j'étais Noisette. Je ne savais pas qu'il y

avait des voleurs dans cette école, moi!

Papi Miller a secoué sa tête, l'air triste.

— Je suppose qu'on trouve des voleurs partout, ma chérie, a-t-il dit.

— Je le sais, ai-je dit. C'est pour ça que je ne reverrai plus jamais ces trucs en fourrure. Alors, toi et moi, on va aller au magasin de mitaines!

J'ai touché à sa poche arrière. J'ai sauté de joie.

— Youpi! Youpi pour ton gros portefeuille! Parce qu'il y a de l'argent, là-dedans. Pas vrai, papi? Pas vrai?

Papi Miller a ri.

— Oui, c'est vrai. Mais j'ai bien peur de ne pas pouvoir t'acheter d'autres mitaines comme celles-là. Celles que je t'ai données étaient les seules mitaines en fourrure qui restaient au magasin. C'était la dernière paire!

Alors, toute la joie est partie de mon cœur.

Parce que je ne m'attendais pas à cette terrible nouvelle.

— Ouais, mais il le *faut*, papi. Il *faut* acheter d'autres mitaines en fourrure. Sinon, qu'est-ce que je vais faire?

Papi m'a *éroubiffé* les cheveux.

— As-tu regardé dans la boîte des objets trouvés? a-t-il demandé.

J'ai poussé un soupir triste.

— Ouais, sauf que cette boîte ne fonctionne pas très bien. Les gens ne rapportent pas toujours les choses.

J'ai tapoté mon nouveau stylo dans ma poche.

— Tu peux me croire, ai-je dit à voix basse.

— Eh bien, quelqu'un va peut-être rapporter tes mitaines, a-t-il dit. Les gens peuvent parfois nous surprendre.

Puis il m'a raconté une histoire qui était arrivée à son portefeuille.

— Il y a quelques années, j'ai perdu mon portefeuille au centre commercial. J'étais certain que je ne le reverrais jamais.

J'ai bougé ma tête de haut en bas.

— Je sais! ai-je dit. C'est parce que « Qui trouve garde! » C'est ça, la règle. Pas vrai, papi?

Papi a souri.

— Eh bien, c'est peut-être la règle pour *certaines* personnes, mais heureusement, ce n'est pas la règle pour tout le monde. Parce que le lendemain, quand je suis sorti chercher mon courrier, mon portefeuille était là! Il était au beau milieu de ma boîte aux lettres! Avec tout mon argent dedans!

Ses yeux étaient heureux et brillants.

— Tu t'imagines, Junie B.? Cette

personne aurait pu prendre tout l'argent.
Au lieu de ça, elle est venue jusqu'à ma
maison et a mis le portefeuille dans la
boîte aux lettres.

Il a sorti son portefeuille de sa poche.

— Regarde ce que j'aurais perdu si
cette personne avait gardé mon
portefeuille, a-t-il ajouté.

Il a sorti une photo du portefeuille et
me l'a montrée.

— C'est toi avec un bébé, ai-je dit.

— Mais ce n'est pas *n'importe quel* bébé! a-t-il dit. C'est toi, Junie B.! C'est une photo de la première fois que je t'ai tenue dans mes bras.

Il a repris la photo et l'a regardée très longtemps.

— Rapporter cette photo, c'est la chose la plus gentille qu'un inconnu ait fait pour moi, a-t-il chuchoté tout bas.

Puis il s'est penché vers moi.

Et il m'a donné un bisou sur la tête.

7/ La fille toute rose

Après avoir parlé avec papi, je suis allée dans ma chambre.

J'ai fermé la porte tout doucement.

Puis j'ai sorti mon beau stylo de ma poche. Et j'ai poussé un gros soupir.

Parce que j'étais toute mélangée, c'est pour ça.

— J'aurais aimé mieux ne pas entendre parler de cette histoire de portefeuille, ai-je dit. Parce que « Qui trouve garde », ce n'est pas la règle, on dirait. Alors, peut-être que je suis une voleuse.

J'ai regardé mon beau stylo.

— Ouais, sauf que je ne me sens pas comme une voleuse. Je me sens comme si j'avais été très chanceuse. Mais il faut quand même que je rapporte ce stylo aux objets trouvés, probablement. Alors, il sera gaspillé, comme le sac à dos.

Tout à coup, j'ai entendu papa et maman rentrer à la maison.

J'ai vite caché mon stylo sous mon matelas. Parce que ces deux-là ne comprendraient pas la situation.

Ils sont entrés dans ma chambre et m'ont embrassée.

Je leur ai raconté ce qui était arrivé à mes mitaines.

Je les ai suppliés de m'amener au magasin. Maman a dit qu'il ne restait plus de mitaines comme celles-là. Papa a dit qu'il ne restait plus de mitaines comme celles-là. Alors, ça voulait dire qu'il n'en restait vraiment plus, on dirait.

C'est pour ça que j'ai encore été déprimée. J'ai mal dormi, cette nuit-là.

Je n'arrêtais pas de me demander qui était le voleur de mitaines. Et de quoi il avait l'air. Parce que j'ai vu des voleurs à la télévision. Ils sont grands et méchants, avec des tatouages sur la peau.

Soudain, je me suis assise dans mon lit.

Parce que je venais d'avoir une bonne idée, c'est pour ça.

— Hé, un tatouage, c'est facile à voir! Alors, peut-être que je pourrais trouver ce voleur dans la cour d'école demain!

Je me suis endormie tout de suite après ça. Parce que j'allais avoir besoin de toute mon énergie pour la chasse au voleur.

Le lendemain, à la récréation, je n'ai pas joué aux chevaux avec Lucille et

Grace.

J'ai couru partout dans la cour d'école pour trouver le voleur de mitaines.

Sauf que tant pis pour moi. Parce que la plupart des enfants portaient un manteau. Alors, je ne pouvais pas voir de voleur avec des tatouages.

Puis la cloche a sonné.

Mes yeux se sont remplis de larmes. Je ne reverrais plus jamais mes mitaines. Plus jamais, de toute ma vie.

J'ai commencé à marcher vers la classe numéro neuf.

Mon nez coulait et je reniflais.

J'ai essuyé mon nez avec la manche de mon beau manteau d'hiver.

Tout à coup, une fille toute rose est passée en sautillant.

Elle portait une robe rose. Des chaussettes roses. Et un manteau en fourrure rose.

Et vous savez quoi?

ELLE AVAIT DES MITAINES EN
FOURRURE NOIRE DANS SES POCHES
EN FOURRURE ROSE!

Mes yeux se sont agrandis.

— HÉ, TOI! TU AS MES MITAINES!
CE SONT MES MITAINES! ai-je crié très
fort.

J'ai baissé la tête. J'ai foncé sur elle
comme un taureau.

Madame m'a vue courir. Elle m'a
attrapée par mon beau manteau d'hiver.

J'ai commencé à sauter en montrant la
fille toute rose.

— CETTE FILLE ROSE A VOLÉ MES
MITAINES! C'EST ELLE, LA VOLEUSE!
SAUF QUE SON MANTEAU CACHE
SES TATOUAGES. C'EST ÇA QUI M'A
MÉLANGÉE.

Madame a appelé la fille rose.
La fille rose a gambadé jusqu'à nous.
J'ai continué de sauter.
— TU AS VOLÉ MES MITAINES! ai-

je crié.

— Je n'ai rien volé, a-t-elle répondu.
Ces mitaines, je les ai *trouvées*. Elles
étaient par terre sur le gazon. J'ai pensé

que personne ne les voulait.

— Moi, je les voulais! ai-je dit. Mon papi Miller me les a achetées sans raison! Et je me suis inquiétée toute la journée à cause de ces mitaines. Et toute la nuit aussi. Ça s'appelle avoir le cœur brisé, mademoiselle!

Madame m'a dit de me calmer.

Elle a enlevé mes mitaines à la fille rose et me les a données.

Puis elle s'est penchée. Elle a pris un air sérieux pour parler à la fille rose.

— Même si tu pensais que personne ne voulait ces mitaines, tu n'aurais pas dû les prendre, a-t-elle dit.

La fille rose m'a montrée du doigt.

— Mais elle n'en prenait pas bien soin, a-t-elle dit.

J'ai tapé le plancher du pied.

— Oui, j'en prenais bien soin! Je les

avais placées sur mon beau manteau.
Parce que je ne savais pas qu'il y avait des
voleurs, ici!

Madame a fait « Chut! »

— Tu aurais dû les apporter aux objets
trouvés, a-t-elle expliqué à la fille rose.

— Ouais! ai-je dit. Comme ça, je les
aurais trouvées hier quand j'ai regardé
dans la boîte. À quoi tu penses qu'elle sert,
cette boîte?

La fille rose a commencé à pleurer.

— Mais je les aime vraiment beaucoup,
a-t-elle dit.

Madame lui a caressé les cheveux.

— Là n'est pas la question, j'en ai bien
peur, a-t-elle dit.

— Ouais, là n'est pas la question, on en
a bien peur, ai-je dit. Parce que ce n'est
pas celui qui trouve qui garde, finalement.
Alors, à partir de maintenant, si tu trouves

mes choses, tu dois les rapporter aux objets trouvés. Aussi, tu peux les mettre dans la boîte aux lettres de mon papi.

Madame m'a regardée un long moment.

Elle a dit que je lui tapais sur les nerfs.

Après, elle a pris la main de la fille rose et elles sont allées parler à son enseignante.

J'ai enfilé mes mitaines.

J'ai mis mon visage dans leur fourrure noire toute douce.

Et j'ai dansé de joie.

8/
Je ne suis pas
une voleuse

Le lendemain, je suis allée au bureau du directeur.

La dame grincheuse m'a regardée par-dessus le comptoir.

Je me suis balancée sur mes pieds.

— Ouais, sauf que je n'ai pas été méchante, encore aujourd'hui, ai-je dit. J'ai juste besoin de regarder dans la boîte des objets trouvés, c'est tout.

La dame grincheuse a ouvert le placard et a sorti la grosse boîte.

Juste à ce moment, le téléphone a

sonné. Elle s'est dépêchée d'aller répondre.

Je me suis penchée et j'ai plongé mes mains dans les objets trouvés.

Mon cœur s'est rempli de joie. Parce que je venais de voir le merveilleux sac à dos, c'est pour ça!

J'ai frotté mon visage sur son bedon.

— Mmmmm... J'aime beaucoup ce nounours, ai-je chuchoté.

Je l'ai mis sur mon dos et j'ai gambadé dans le bureau.

La dame grincheuse a raccroché le téléphone.

— Est-ce que tu as perdu ce sac aussi? a-t-elle demandé. C'est pour ça que tu es ici?

Je suis restée plantée là sans rien dire.

— Eh bien? a-t-elle dit.

Finalement, j'ai poussé un gros soupir.

J'ai marché très lentement vers la boîte.

J'ai enlevé le sac à dos.

— Non, ce n'est pas pour ça, ai-je
répondu.

J'ai mis la main dans ma poche et j'ai
sorti le beau stylo.

Rapporte les choses égarées dans la boite des objets trouvés. Tu auras le sourire ce jour-là.

— J'ai trouvé ce stylo, ai-je dit. Il était sur le plancher, à côté de la fontaine. Je l'aime vraiment beaucoup. Sauf que ce n'est pas là la question.

J'ai respiré très, très fort. Puis j'ai laissé

tomber le beau stylo dans la boîte des objets trouvés.

— Je ne suis pas une voleuse, ai-je ajouté d'une petite voix.

La dame grincheuse m'a regardée d'un air plus gentil. Elle a *éroubiffé* mes cheveux.

— Non, a-t-elle dit. Bien sûr que tu n'es pas une voleuse.

Après, je me suis balancée encore un peu. J'ai attendu, attendu...

La dame a levé les sourcils.

— J'attends le sourire, ai-je expliqué. Il n'arrive pas vite.

La dame a ri très fort.

C'est alors que je l'ai senti.

Le sourire.

Il est arrivé sur mon visage!

— Hé! ça marche! Ça marche vraiment! ai-je dit d'une voix perçante.

J'ai gambadé dans le bureau, toute contente.

La dame a ouvert la porte.

J'ai gambadé jusqu'à la classe numéro neuf.

Et vous savez quoi?

Cette fois-ci, je n'ai pas trouvé de stylo qui écrit de quatre couleurs différentes.

C'était aussi bien comme ça!

Mot de Barbara Park

Qui trouve garde...

J'adorais cette phrase quand j'étais petite.
Chaque fois que je trouvais un trésor dans la rue,
je le ramassais et le rapportais à la maison, tout
en chantant : « Qui trouve garde! »

Puis est arrivé le jour où j'ai oublié mes nouvelles
chaussures rouges dans les toilettes de l'école.
Quand je suis retournée les chercher, elles
n'étaient plus là.

Quelqu'un d'autre était probablement en train de
chanter : « Qui trouve garde! » Tout à coup, je
me suis aperçue que je n'aimais plus du tout
cette phrase!

Je ne l'aime toujours pas.

(Pas plus que Junie B. Jones, à la fin de
l'histoire!)